Texto: CARMELA LAVIGNA COYLE   *Ilustraciones:* STEVE GRAY

EL TREN DEL ZOO

ESTACIÓN DEL ZOO

TORRE DE CONTROL

TIQUETS

Puedes consultar nuestro catálogo en www.picarona.net

El tren del zoo
Texto: *Carmela LaVigna Coyle*
Ilustraciones: *Steve Gray*

1.ª edición: noviembre de 2020

Título original: *Wild Zoo Train*

Traducción: *David Aliaga*
Maquetación: *Isabel Estrada*
Corrección: *Júlia Canovas*

Edita: Picarona, sello infantil de Ediciones Obelisco, S. L.
Collita, 23-25. Pol. Ind. Molí de la Bastida
08191 Rubí - Barcelona - España
Tel. 93 309 85 25
E-mail: picarona@picarona.net

ISBN: 978-84-9145-411-3
Depósito Legal: B-15.622-2020

Impreso en ANMAN, Gràfiques del Vallès, S. L.
c/ Llobateres, 16-18, Tallers 7 - Nau 10. Polígono Industrial Santiga.
08210 - Barberà del Vallès - Barcelona

Printed in Spain

Express-amente para Nick
y Teddy, su abuelo freighthopper.
- C. C.

Para Cindy... Desde que nos conocimos,
la vida ha sido una maravillosa aventura.
- S. G.

—¡Pasajeros al tren!

¡Primera parada: EL CAÑÓN! -anuncia el revisor-.

¡Tomad una botella de agua, amigos!

—¡Esperadnos!

—¡Subid!

—Mmm... No lo veo en el plano del zoo.

CHUU CHUU CHUU

hace el Tren del Zoo.

ZOO URBANO

Ding-ding-ding
hace la campanilla
de la locomotora.

Chucu-chucu
hacen las ruedas
sobre la vía.

Uuuuu-uuuuu
hace el silbato
en lo alto.

Y el tren reduce la marcha. . .

CHU

Mirad... ¡lagartos y jabalíes, coyotes y ranas;

cactus y gatos monteses, buitres

y murciélagos!

—¡Pasajeros al tren!

¡Siguiente parada: LA SELVA AMAZÓNICA!

-anuncia el revisor-.

Que todo el mundo se ponga chubasquero.

—¡Yo también quiero ir!

—Nunca he estado en la selva.

—¿¡Veremos monos!?

Chuu-chuu-chuu hace el Tren del Zoo.
Ding-ding-ding hace la campanilla de la locomotora.
Chucu-chucu hacen las ruedas sobre la vía.
Uuuuu-uuuuu hace el silbato en lo alto.

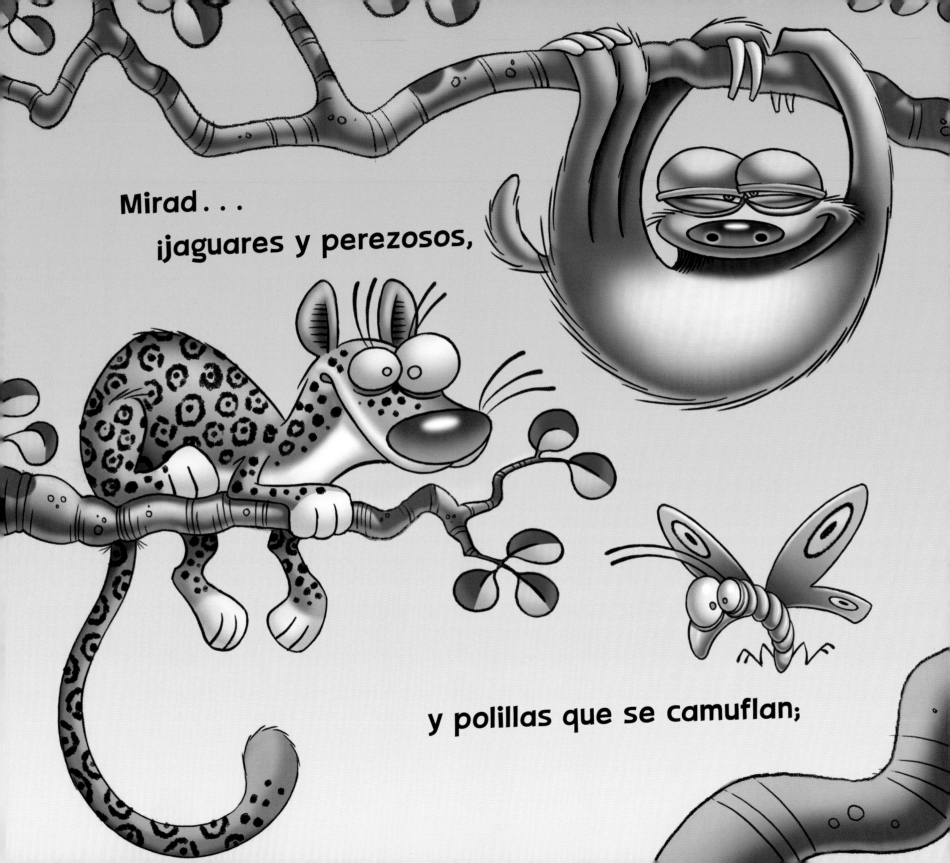

Mirad...
¡jaguares y perezosos,

y polillas que se camuflan;

tucanes en los árboles,
y MONOS aulladores!

—¡Pasajeros al tren!
¡Siguiente parada: LA SABANA AFRICANA!
-anuncia el revisor-.
¡Poneos gafas de sol!

Chuu-chuu-chuu hace el Tren del Zoo.
Ding-ding-ding hace la campanilla
de la locomotora.
Chucu-chucu hacen las ruedas sobre la vía.
Uuuuu-uuuuu hace el silbato en lo alto.

Y el tren reduce la marcha...

CHUUUUUUUUUUuuu

. . .en la sabana.

elefantes y pitones,

y camaleones orejeros!

–¡Siguiente parada: LA ANTÁRTIDA! –anuncia el revisor–.
¡Hay que abrigarse!
–¡Espere!
–¡No se vaya sin nosotros!
–La Antártida está helada, ¿verdad?

Chuu-chuu-chuu hace el Tren del Zoo.

Ding-ding-ding hace la campanilla de la locomotora.

Chucu-chucu hacen las ruedas sobre la vía.

Uuuuu-uuuuu hace el silbato en lo alto.

Y el tren reduce la marcha...

CHUUUUUUUUUuuu

...en la Antártida.

EROS AL TREN!

¡Próxima parada . . .

. . . LA LUNA!

—Desde luego, esto sí que no aparece
en el plano del zoo.

—¡Abrochaos los cinturones! Diez, nueve, ocho. . .
Chuu-chuu-chuu hace el Tren del Zoo.